Mélancolique villégiature de Madame de Breyves
Marcel Proust

NOVELLIX
— *stories to go* —

www.novellix.fr

Cette nouvelle a été publiée dans *Les Plaisirs et les jours,*
1896, Éditions Calmann-Lévy.

Couverture : Lisa Benk
Mise en page : Marine Gheeraert
Publié par Novellix, Paris, 2022
Impression : Livonia Print, Riga, 2022
ISBN: 978-91-7589-563-5

MIXTE
Papier issu de
sources responsables
FSC® C002795

FSC
www.fsc.org

Novellix s'investit dans la lutte contre le changement climatique : les livres sont imprimés
sur du papier certifié FSC. La production est compensée par un partenariat avec Climate
Calc pour financer des projets de préservation climatique :
Safe Community Water Supply au Rwanda (southpole.com).

Ariane, ma sœur, de quelle amour blessée
Vous mourûtes aux bords ou vous fûtes laissée !
Jean Racine, *Phèdre*, I, 3

I

FRANÇOISE DE BREYVES hésita longtemps, ce soir-là, pour savoir si elle irait à la soirée de la princesse Élisabeth d'A…, à l'Opéra, ou à la comédie des Livray. Chez les amis où elle venait de dîner, on était sorti de table depuis plus d'une heure. Il fallait prendre un parti.

Son amie Geneviève, qui devait revenir avec elle, tenait à la soirée de Mme d'A…, tandis que, sans bien savoir pourquoi, Mme de Breyves aurait préféré faire une des deux autres choses, ou même une troisième, rentrer se coucher. On annonça sa voiture. Elle n'était toujours pas décidée.

– Vraiment, dit Geneviève, tu n'es pas gentille, puisque

je crois que Rezké chantera et que cela m'amuse. On dirait que cela peut avoir de graves conséquences pour toi d'aller chez Élisabeth. D'abord, je te dirai que tu n'es pas allée cette année à une seule de ses grandes soirées, et liée avec elle comme tu l'es, ce n'est pas très gentil.

Françoise, depuis la mort de son mari, qui l'avait laissée veuve à vingt ans, – il y avait quatre ans de cela –, ne faisait presque rien sans Geneviève et aimait à lui faire plaisir. Elle ne résista pas plus longtemps à sa prière, et, après avoir dit adieu aux maîtres de la maison et aux invités désolés d'avoir si peu joui d'une des femmes les plus recherchées de Paris, dit au valet de pied :

– Chez la princesse d'A…

II

La soirée de la princesse fut très ennuyeuse. À un moment Mme de Breyves demanda à Geneviève :

– Qui est donc ce jeune homme qui t'a menée au buffet ?

– C'est M. de Laléande que je ne connais d'ailleurs pas du tout. Veux-tu que je te le présente ? il me l'avait demandé, j'ai répondu dans le vague, parce qu'il est très insignifiant et ennuyeux, et comme il te trouve très jolie il ne te lâcherait plus.

– Oh alors ! non, dit Françoise, il est un peu laid du reste et vulgaire, malgré d'assez beaux yeux.

– Tu as raison, dit Geneviève. Et puis tu le rencontreras souvent, cela pourrait te gêner si tu le connaissais. Elle ajouta en plaisantant :

– Maintenant si tu désires être intime avec lui, tu perds une bien belle occasion.

– Oui, une bien belle occasion, dit Françoise, – et elle pensait déjà à autre chose.

– Après tout, dit Geneviève, prise sans doute du remords d'avoir été un si infidèle mandataire et d'avoir gratuitement privé ce jeune homme d'un plaisir, c'est une des dernières soirées de la saison, cela n'aurait rien de bien grave et ce serait peut-être plus gentil.

– Eh bien soit, s'il revient par ici.

Il ne revint pas. Il était à l'autre bout du salon, en face d'elles.

– Il faut nous en aller, dit bientôt Geneviève.

– Encore un instant, dit Françoise.

Et par caprice, surtout de coquetterie envers ce jeune homme qui devait en effet la trouver bien jolie, elle se mit à le regarder un peu longtemps, puis détournait les yeux et les fixait de nouveau sur lui.

En le regardant, elle s'efforçait d'être caressante, elle ne savait pourquoi, pour rien, pour le plaisir, le plaisir de la charité, et de l'orgueil un peu, et aussi de l'inutile, le plaisir de ceux qui écrivent un nom sur un arbre pour un passant qu'ils ne verront jamais, de ceux qui jettent une bouteille à la mer. Le temps passait, il était déjà tard ; M. de Laléande se dirigea vers la porte, qui resta ouverte après qu'il fut sorti, et Mme de Breyves l'apercevait au fond du vestibule qui tendait son numéro au vestiaire.

– Il est temps de partir, tu as raison, dit-elle à Geneviève.

Elles se levèrent. Mais le hasard d'un mot qu'un ami de Geneviève avait à lui dire laissa Françoise seule au vestiaire. Il n'y avait là à ce moment que M. de Laléande qui ne pouvait trouver sa canne. Françoise s'amusa une dernière fois à le regarder. Il passa près d'elle, remua légèrement le coude de Françoise avec le sien, et, les yeux brillants, dit, au moment où il était contre elle, ayant toujours l'air de chercher :

– Venez chez moi, 5, rue Royale.

Elle avait si peu prévu cela et maintenant M. de Laléande continuait si bien à chercher sa canne, qu'elle ne sut jamais très exactement dans la suite si ce n'avait pas été une hallucination.

Elle avait surtout très peur, et le prince d'A... passant à ce moment elle l'appela, voulait prendre rendez-vous avec lui pour faire le lendemain une promenade, parlait avec volubilité. Pendant cette conversation M. de Laléande s'en était allé.

Geneviève arriva au bout d'un instant et les deux femmes partirent. Mme de Breyves ne raconta rien et resta choquée et flattée, au fond très indifférente.

Au bout de deux jours, y ayant repensé par hasard, elle commença de douter de la réalité des paroles de M. de Laléande. Essayant de se rappeler, elle ne le put pas complètement, crut les avoir entendues comme dans un rêve et se dit que le mouvement du coude était une maladresse fortuite.

Puis elle ne pensa plus spontanément à M. de Laléande et quand par hasard elle entendait prononcer son nom, elle se rappelait rapidement sa figure et avait tout à fait oublié la presque hallucination au vestiaire. Elle le revit à la dernière soirée qui fut donnée cette année-là (juin finissait), n'osa pas demander qu'on le lui présentât, et pourtant, malgré qu'elle le trouvât presque laid, le sût pas intelligent, elle aurait bien aimé le connaître.

Elle s'approcha de Geneviève et lui dit :

– Présente-moi tout de même M. de Laléande. Je n'aime pas à être impolie. Mais ne dis pas que c'est moi qui le demande. Cela m'engagerait trop.

– Tout à l'heure si nous le voyons, il n'est pas là pour le moment.

– Eh bien, cherche-le.

– Il est peut-être parti.

– Mais non, dit très vite Françoise, il ne peut pas être parti, il est trop tôt. Oh ! déjà minuit. Voyons, ma petite Geneviève, ça n'est pourtant pas bien difficile. L'autre soir, c'était toi qui voulais. Je t'en prie, cela a un intérêt pour moi.

Geneviève la regarda un peu étonnée et alla à la

recherche de M. de Laléande ; il était parti.

– Tu vois que j'avais raison, dit Geneviève, en revenant auprès de Françoise.

– Je m'assomme ici, dit Françoise, j'ai mal à la tête, je t'en prie, partons tout de suite.

III

Françoise ne manqua plus une fois l'Opéra, accepta avec un espoir vague tous les dîners où elle fut encore invitée. Quinze jours se passèrent, elle n'avait pas revu M. de Laléande et souvent s'éveillait la nuit en pensant aux moyens de le revoir. Tout en se répétant qu'il était ennuyeux et pas beau, elle était plus préoccupée par lui que par tous les hommes les plus spirituels et les plus charmants. La saison finie, il ne se présenterait plus d'occasion de le revoir, elle était résolue à en créer et cherchait.

Un soir, elle dit à Geneviève :

– Ne m'as-tu pas dit que tu connaissais un M. de Laléande ?

– Jacques de Laléande ? Oui et non, il m'a été présenté, mais il ne m'a jamais laissé de cartes, je ne suis pas du tout en relation avec lui.

– C'est que je te dirai, j'ai un petit intérêt, même assez grand, pour des choses qui ne me concernent pas et qu'on ne me permettra sans doute pas de te dire avant un mois (d'ici là elle aurait convenu avec lui d'un mensonge pour n'être pas découverte, et cette pensée d'un secret où seuls ils seraient tous les deux lui était douce), à faire sa connaissance et à me trouver avec lui. Je t'en prie, tâche de me trouver un moyen parce que la saison est finie, il n'y aura plus rien et je ne pourrai plus me le faire présenter.

Les étroites pratiques de l'amitié, si purifiantes quand elles sont sincères, abritaient Geneviève aussi bien que Françoise des curiosités stupides qui sont l'infâme volupté de la plupart des gens du monde.

Aussi de tout son cœur, sans avoir eu un instant l'intention ni le désir, pas même l'idée d'interroger son amie, Geneviève cherchait, se fâchait seulement de ne pas trouver.

– C'est malheureux que Mme d'A… soit partie. Il y a bien M. de Grumello, mais après tout, cela n'avance à rien, quoi lui dire ? Oh ! j'ai une idée. M. de Laléande joue du violoncelle assez mal, mais cela ne fait rien. M. de Grumello l'admire, et puis il est si bête et sera si content de te faire plaisir. Seulement toi qui l'avais toujours tenu à l'écart et qui n'aimes pas lâcher les gens après t'en être servie, tu ne vas pas vouloir être obligée de l'inviter l'année prochaine. Mais déjà Françoise, rouge de joie, s'écriait :

– Mais cela m'est bien égal, j'inviterai tous les rasta-quouères de Paris s'il le faut. Oh ! fais-le vite, ma petite Geneviève, que tu es gentille !

Et Geneviève écrivit :

Monsieur,

Vous savez comme je cherche toutes les occasions de faire plaisir à mon amie, Mme de Breyves, que vous avez sans doute déjà rencontrée. Elle a exprimé devant moi, à plusieurs reprises, comme nous parlions violoncelle, le regret de n'avoir jamais entendu M. de Laléande qui est un si bon ami à vous. Voudriez-vous le faire jouer pour elle et pour moi ? Maintenant qu'on est si libre, cela ne vous dérangera pas trop et ce serait tout ce qu'il y a de plus aimable. Je vous envoie tous mes meilleurs souvenirs,

ALÉRIOUVRE BUIVRES

– Portez ce mot tout de suite chez M. de Grumello, dit Françoise à un domestique ; n'attendez pas de réponse, mais faites-le remettre devant vous.

Le lendemain, Geneviève faisait porter à Mme de Breyves la réponse suivante de M. de Grumello :

Madame,

J'aurais été plus charmé que vous ne pouvez le penser de satisfaire votre désir et celui de Mme de Breyves, que je connais un peu et pour qui j'éprouve la sympathie la plus

respectueuse et la plus vive. Aussi je suis désespéré qu'un
bien malheureux hasard ait fait partir M. de Laléande il
y a juste deux jours pour Biarritz où il va, hélas ! passer
plusieurs mois.
Daignez accepter, Madame, etc.

GRUMELLO

Françoise se précipita toute blanche vers sa porte pour la fermer à clef, elle en eut à peine le temps. Déjà des sanglots venaient se briser à ses lèvres, ses larmes coulaient. Jusque-là tout occupée à imaginer des romans pour le voir et le connaître, certaine de les réaliser dès qu'elle le voudrait, elle avait vécu de ce désir et de cet espoir sans peut-être s'en rendre bien compte. Mais par mille imperceptibles racines qui avaient plongé dans toutes ses plus inconscientes minutes de bonheur ou de mélancolie, y faisant couler une sève nouvelle, sans qu'elle sût d'où elle venait, ce désir s'était implanté en elle. Voici qu'on l'arrachait pour le rejeter dans l'impossible. Elle se sent déchirée, dans une horrible souffrance de tout cet elle-même déraciné tout d'un coup, et à travers les mensonges subitement éclaircis de son espoir, dans la profondeur de son chagrin, elle vit la réalité de son amour.

IV

Françoise se retira davantage chaque jour de toutes les joies. Aux plus intenses, à celles mêmes qu'elle goûtait dans son intimité avec sa mère ou avec Geneviève, dans ses heures de musique, de lecture ou de promenade, elle ne prêtait plus qu'un cœur possédé par un chagrin jaloux et qui ne le quittait pas un instant. La peine était infinie que lui causaient et l'impossibilité d'aller à Biarritz, et, cela eût-il été possible, sa détermination absolue de n'y point aller compromettre par une démarche insensée tout le prestige qu'elle pouvait avoir aux yeux de M. de Laléande. Pauvre petite victime à la torture sans qu'elle sût pourquoi, elle s'effrayait à la pensée que ce mal allait peut-être ainsi durer des mois avant que le remède vînt, sans la laisser dormir calme, rêver libre. Elle s'inquiétait aussi de ne pas savoir s'il ne repasserait pas par Paris, bientôt peut-être, sans qu'elle le sût. Et la peur de laisser passer une seconde fois le bonheur si près l'enhardit, elle envoya un domestique s'informer chez le concierge de M. de Laléande. Il ne savait rien. Alors, comprenant que plus une voile d'espoir n'apparaîtrait au ras de cette mer de chagrin qui s'élargissait à l'infini, après l'horizon de laquelle il semblait qu'il n'y eût plus rien et que le monde finissait, elle sentit qu'elle allait faire des choses folles, elle ne savait quoi, lui écrire peut-être, et devenue son propre médecin, pour se calmer un peu, elle se permit à soi-même de tâcher de lui faire apprendre qu'elle avait voulu le voir et écrivit ceci à M. de Grumello :

Monsieur,

Mme de Buivres me dit votre aimable pensée. Comme je vous remercie et suis touchée ! Mais une chose m'inquiète. M. de Laléande ne m'a-t-il pas trouvée indiscrète ! Si vous ne le savez pas, demandez-le-lui et répondez-moi, quand vous la saurez, toute la vérité. Cela me rend très curieuse et vous me ferez plaisir. Merci encore. Monsieur.

Croyez à mes meilleurs sentiments,

VORAGYNES BREYVES

Une heure après, un domestique lui portait cette lettre :

Ne vous inquiétez pas, Madame, M. de Laléande n'a pas su que vous vouliez l'entendre. Je lui avais demandé les jours ou il pourrait venir jouer chez moi sans dire pour qui. Il m'a répondu de Biarritz qu'il ne reviendrait pas avant le mois de janvier. Ne me remerciez pas mon plus. Mon plus grand plaisir serait de vous en faire un peu, etc.

GRUMELLO

Il n'y avait plus rien à faire. Elle ne fit plus rien, s'attrista de plus en plus, eut des remords de s'attrister ainsi, d'attrister sa mère. Elle alla passer quelques jours à la campagne, puis partit pour Trouville. Elle y entendit parler des ambitions mondaines de M. de Laléande, et quand un prince s'ingéniant lui disait : « Que pourrais-je pour vous faire plaisir ? » Elle s'égayait presque à imaginer combien il serait étonné si elle lui avait répondu sincèrement, et concentrait pour la savourer toute l'enivrante amertume qu'il y avait dans l'ironie de ce contraste entre toutes les grandes choses difficiles qu'on avait toujours faites pour lui plaire, et la petite chose si facile et si impossible qui lui aurait rendu le calme, la santé, le bonheur et le bonheur des siens. Elle ne se plaisait un peu qu'au milieu de ses domestiques, qui avaient une immense admiration pour elle et qui la servaient sans oser lui parler, la sentant si triste. Leur silence respectueux et chagrin lui parlait de M. de Laléande. Elle l'écoutait avec volupté et les faisait servir très lentement le déjeuner pour retarder le moment ou ses amies viendraient, où il faudrait se contraindre. Elle voulait garder longtemps dans la bouche ce goût amer et doux de toute cette tristesse autour d'elle à cause de lui. Elle aurait aimé que plus d'êtres encore fussent aimés par lui, se soulageant à sentir ce qui tenait tant de place dans son cœur en prendre un peu autour d'elle, elle aurait voulu avoir à soi des bêtes énergiques qui auraient langui de son mal. Par moments, désespérée, elle voulait lui écrire, ou lui faire écrire, se déshonorer, « rien ne lui était plus ». Mais il lui valait mieux, dans l'intérêt même de son amour, garder sa situation mondaine, qui pourrait lui donner plus d'autorité sur lui, un jour, si un jour venait.

Et si une courte intimité avec lui rompait le charme qu'il avait jeté sur elle (elle ne voulait pas, ne pouvait pas le croire, même l'imaginer un instant ; mais son esprit plus perspicace apercevait cette fatalité cruelle à travers les aveuglements de son cœur), elle resterait sans un seul appui au monde, après. Et si quelque autre amour survenait, elle n'aurait plus les ressources qui au moins lui demeuraient maintenant, cette puissance qui à leur retour à Paris, lui rendrait si facile l'infirmité de M. de Laléande. Essayant de séparer d'elle ses propres sentiments et de les regarder comme un objet qu'on examine, elle se disait :

« Je le sais médiocre et l'ai toujours trouvé tel. C'est bien mon jugement sur lui, il n'a pas varié. Le trouble s'est glissé depuis mais n'a pu altérer ce jugement. C'est si peu que cela, et c'est pour ce peu-là que je vis. Je vis pour Jacques de Laléande ! »

Mais aussitôt, ayant prononcé son nom, par une association involontaire cette fois et sans analyse, elle le revoyait et elle éprouvait tant de bien-être et tant de peine, qu'elle sentait que ce peu de chose qu'il était importait peu, puisqu'il lui faisait éprouver des souffrances et des joies auprès desquelles les autres n'étaient rien. Et bien qu'elle pensât qu'à le connaître mieux tout cela se dissiperait, elle donnait à ce mirage toute la réalité de sa douleur et de sa volupté.

Une phrase des *Maîtres chanteurs* entendue à la soirée de la princesse d'A… avait le don de lui évoquer M. de Laléande avec le plus de précision (*Dem Vogel der heut sang dem war der Schnabel hold gewachsen*). Elle en avait fait sans le vouloir le véritable *leitmotiv* de M. de Laléande, et, l'entendant un jour à Trouville dans un concert, elle fondit en larmes.

De temps en temps, pas trop souvent pour ne pas se blaser, elle s'enfermait dans sa chambre, où elle avait fait transporter le piano et se mettait à la jouer en fermant les yeux pour mieux le voir, c'était sa seule joie grisante aveu des fins désenchantées, l'opium dont elle ne pouvait se passer. S'arrêtant parfois à écouter couler sa peine comme on se penche pour entendre la douce plainte incessante d'une source et songeant à l'atroce alternative entre sa honte future d'où suivrait le désespoir des siens et (si elle ne cédait pas) sa tristesse éternelle, elle se maudissait d'avoir si savamment dosé dans son amour le plaisir et la peine qu'elle n'avait su ni le rejeter tout d'abord comme un insupportable poison, ni s'en guérir ensuite.

Elle maudissait ses yeux d'abord et peut-être avant eux son détestable esprit de coquetterie et de curiosité qui les avait épanouis comme des fleurs pour tenter ce jeune homme, puis qui l'avait exposée aux regards de M. de Laléande, certains comme des traits et d'une plus invincible douceur que si ç'avaient été des piqûres de morphine.

Elle maudissait son imagination aussi ; elle avait si tendrement nourri son amour que Françoise se demandait parfois si seule aussi son imagination ne l'avait pas enfanté, cet amour qui maintenant maîtrisait sa mère et la torturait.

Elle maudissait sa finesse aussi, qui avait si habilement, si bien et si mal arrangé tant de romans pour le revoir que leur décevante impossibilité l'avait peut-être attachée davantage encore à leur héros, – sa bonté et la délicatesse de son cœur qui, si elle se donnait, empesteraient de remords et de honte la joie de ces amours coupables, – sa volonté si impétueuse, si cabrée, si hardie à sauter les obstacles quand ses désirs la menaient à l'impossible, si faible, si molle, si brisée, non seulement quand il fallait leur désobéir, mais quand c'était par quelque autre sentiment qu'elle était conduite.

Elle maudissait enfin sa pensée sous ses plus divines espèces, le don suprême qu'elle avait reçu et à qui l'on a, sans avoir su lui trouver son nom véritable, donné tous les noms, – intuition du poète, extase du croyant, sentiment profond de la nature et de la musique, – qui avait mis devant son amour des sommets, des horizons infinis, les avait laissés baigner dans la surnaturelle lumière de son charme et avait en échange prêté à son amour un peu du sien, qui avait intéressé à cet amour, solidarisé avec lui et confondu toute sa plus haute et sa plus intime vie intérieure, avait consacré à lui, comme le trésor d'une église à la Madone, tous les plus précieux joyaux de son cœur et de sa pensée, de son cœur, qu'elle écoutait gémi dans les soirées ou sur la mer dont la mélancolie et celle qu'elle avait de ne le point voir étaient maintenant sœurs : elle maudissait cet inexprimable sentiment du mystère des choses où notre esprit s'abîme dans un rayonnement de beauté, comme le soleil couchant dans la mer, pour avoir approfondi son amour, l'avoir matérialisé, élargi, infinisé sans l'avoir rendu moins torturant : « car (comme l'a dit Baudelaire, parlant des fins d'après-midi d'automne) il est des sensations dont le vague n'exclut pas l'intensité et il n'est pas de pointe plus acérée que celle de l'infini ».

V

C'est à Trouville que je viens de retrouver Mme de Breyves, que j'avais connue plus heureuse. Rien ne peut la guérir. Si elle aimait M. de Laléande pour sa beauté ou pour son esprit, on pourrait chercher pour la distraire un jeune homme plus spirituel ou plus beau. Si c'était sa bonté ou son amour pour elle qui l'avait attachée à lui, un autre pourrait essayer de l'aimer avec plus de fidélité.

Mais M. de Laléande n'est ni beau ni intelligent. Il n'a pas eu l'occasion de lui prouver s'il était tendre ou dur, odieux ou fidèle. C'est donc bien lui qu'elle aime et non des mérites ou des charmes qu'on pourrait trouver à un aussi haut degré chez d'autres ; c'est bien lui qu'elle aime malgré ses imperfections, malgré sa médiocrité ; elle est donc destinée à l'aimer malgré tout.

Lui, savait-elle ce que c'était ? sinon qu'il en émanait pour elle de tels frissons de désolation ou de béatitude que tout le reste de sa vie et des choses ne comptait plus. La figure la plus belle, la plus originale intelligence n'auraient pas cette essence particulière et mystérieuse, si unique, que jamais une personne humaine n'aura son double exact dans l'infini des mondes ni dans l'éternité du temps.

Sans Geneviève de Buivres, qui la conduisit innocemment chez Mme d'A..., tout cela n'eût pas été. Mais les circonstances se sont enchaînées et l'ont emprisonnée, victime d'un mal sans remède, parce qu'il est sans raison.

Certes, M. de Laléande, qui promène sans doute en ce moment sur la plage de Biarritz une vie médiocre et des rêves chétifs, serait bien étonné s'il savait l'autre existence miraculeusement intense au point de tout se subordonner, d'annihiler tout ce qui n'est pas elle, qu'il a dans l'âme de Mme de Breyves, existence aussi continue que son existence personnelle, se traduisant aussi effectivement par des actes, s'en distinguant seulement par une conscience plus aiguë, moins intermittente, plus riche. Qu'il serait étonné s'il savait que lui, peu recherché d'ordinaire sous ses espèces matérielles, est subitement évoqué où qu'aille Mme de Breyves, au milieu des gens du plus de talent, dans les salins les plus fermés, dans les paysages qui se suffisent le plus à eux-mêmes, et qu'aussitôt cette femme si aimée n'a plus de tendresse, de pensée, d'attention, que pour le souvenir de cet intrus devant qui tout s'efface comme si lui seul avait la réalité d'une personne et si les personnes présentes étaient vaines comme des souvenirs et comme des ombres.

Que Mme de Breyves se promène avec un poète ou déjeune chez une archiduchesse, qu'elle quitte Trouville pour la montagne ou pour les champs, qu'elle soit seule et lise, ou cause avec l'ami le mieux aimé, qu'elle monte à cheval ou qu'elle dorme, le nom, l'image de M. de Laléande est sur elle, délicieusement, cruellement, inévitablement, comme le ciel est sur nos têtes.

Elle en est arrivée, elle qui détestait Biarritz, à trouver à tout ce qui touche à cette ville un charme doulou- reux et troublant.

Elle s'inquiète des gens qui y sont, qui le verront peut- être sans le savoir, qui vivront peut-être avec lui sans en jouir. Pour ceux-là elle est sans rancune, et sans oser leur donner de commissions, elle les interroge sans cesse, s'étonnant parfois qu'on l'entende tant parler à l'entour de son secret sans que personne l'ait découvert. Une grande photographie de Biarritz est un des seuls ornements de sa chambre. Elle prête à l'un des promeneurs qu'on y voit sans le distinguer les traits de M. de Laléande.

Si elle savait la mauvaise musique qu'il aime et qu'il joue, les romances méprisées prendraient sans doute sur son piano et bientôt dans son cœur la place des symphonies de Beethoven et des drames de Wagner, par un abaissement sentimental de son goût, et par le charme que celui d'où lui vient tout charme et toute peine projetterait sur elles.

Parfois l'image de celui qu'elle a vu seulement deux ou trois fois et pendant quelques instants, qui tient une si petite place dans les événements extérieurs de sa vie et qui en a pris une dans sa pensée et dans son cœur absorbante jusqu'à les occuper tout entiers, se trouble devant les yeux fatigués de sa mémoire.

Elle ne le voit plus, ne se rappelle plus ses traits, sa silhouette, presque plus ses yeux. Cette image, c'est pourtant tout ce qu'elle a de lui.

Elle s'affole à la pensée qu'elle la pourrait perdre, que le désir – qui, certes, la torture, mais qui est tout elle-même maintenant, en lequel elle s'est toute réfugiée, après avoir tout fui, auquel elle tient comme on tient à sa conservation, à la vie, bonne ou mauvaise – pourrait s'évanouir et qu'il ne resterait plus que le sentiment d'un malaise et d'une souffrance de rêve, dont elle ne saurait plus l'objet qui les cause, ne le verrait même plus dans sa pensée et ne l'y pourrait plus chérir.

Mais voici que l'image de M. de Laléande est revenue après ce trouble momentané de vision intérieure. Son chagrin peut recommencer et c'est presque une joie. Comment Mme de Breyves supportera-t-elle ce retour à Paris où lui ne reviendra qu'en janvier ? Que fera-t-elle d'ici là ? Que fera-t-elle, que fera-t-il après ?

Vingt fois j'ai voulu partir pour Biarritz, et ramener M. de Laléande. Les conséquences seraient peut-être terribles, mais je n'ai pas à l'examiner, elle ne le permet point. Mais je me désole de voir ces petites tempes battues du dedans jusqu'à en être brisées par les coups sans trêve de cet amour inexplicable.

Il rythme toute sa vie sur un mode d'angoisse.

Souvent elle imagine qu'il va venir à Trouville, s'approcher d'elle, lui dire qu'il l'aime. Elle le voit, ses yeux brillent. Il parle avec cette voix blanche du rêve qui vous défend de croire tout en même temps qu'il nous force à écouter. C'est lui.

Il lui dit ces paroles qui nous font délirer, malgré que nous ne les entendions jamais qu'en songe, quand nous y voyons briller, si attendrissant, le divin sourire confiant des destinées qui s'unissent. Aussitôt le sentiment que les deux mondes de la réalité et de son désir sont parallèles, qu'il leur est aussi impossible de se rejoindre qu'à l'ombre le corps qui l'a projetée, la réveille.

Alors se souvenant de la minute au vestiaire où son coude frôla son coude, où il lui offrit ce corps qu'elle pourrait maintenant serrer contre le sien si elle avait voulu, si elle avait su, et qui est peut-être à jamais loin d'elle, elle sent des cris de désespoir et de révolte la traverser tout entière comme ceux qu'on entend sur les vaisseaux qui vont sombrer.

Si, se promenant sur la plage ou dans les bois elle laisse un plaisir de contemplation ou de rêverie, moins que cela une bonne odeur, un chant que la brise apporte et voile, doucement la gagner, lui faire pendant un instant oublier son mal, elle sent subitement dans un grand coup au cœur une blessure douloureuse et, plus haut que les vagues ou que les feuilles, dans l'incertitude de l'horizon sylvestre ou marin, elle aperçoit l'indécise image de son invisible et présent vainqueur qui, les yeux brillants à travers les nuages comme le jour où il s'offrit à elle, s'enfuit avec le carquois dont il vient encore de lui décocher une flèche.

Juillet 1893